# 高尔夫与哲学

## 点 评 集

# 点评①

首先感谢《高尔夫与哲学》出版方对我的邀请，很荣幸就『高尔夫和打高尔夫的重要性』这一话题撰序，它是一个三十年高尔夫从业者的总结和展望。

1984年，霍英东建立的中山温泉高尔夫开启了中国高尔夫新篇章。迄今为止，中国已有三百多家高尔夫球场，从业人员50余万人，青少年注册人数超十万。高尔夫是一项伟大的运动，是健康、是礼仪、是成长、是凝聚力、是关怀，它带来的快乐可以从四岁持续到一百零四岁。

中国高尔夫职业比赛起起伏伏，从1995年至今，中国公开赛一直坚持在办，虽步履蹒跚，但始终前行。职业球员数量目前尚不充足，但随着2016年高尔夫回归里约奥运会，中国高尔夫逐渐走上国际舞台。

高尔夫精神是诚信、自律、为他人着想，这会潜移默化地影响青少年身心发展，打球的孩子不容易学坏。

高尔夫业余爱好者在工作完了以后去享受高尔夫。国内打高尔夫的成本居高不下，一线城市尤为突出。但高尔夫球场本身是社会公共资源，未来要让更多的人打球，践行『全民健身』，让所有人体验到高尔夫的精神和快乐。

打高尔夫球就像英文的『play』中蕴含的享受忘我的精神，会忘掉时间、忘掉年龄、忘掉烦恼，特别是这项运动寿命极长。现在从事高尔夫运动的老年人也非常多，老同志在一起叙叙旧，蓝天白云、大自然带给他们愉悦的心情，这一刻的时光非常难得。

我阅读《高尔夫与哲学》一书，感到高尔夫不仅是一项运动，也是一种文化。愿这本书的推广，让更多人理解高尔夫、爱上高尔夫、参与高尔夫，这是我从业三十多年以来一直的心愿。《高尔夫与哲学》独创了十八张一宣纸折页点评，这样就有几十页的空白宣纸空间，可以成为球手的高尔夫日记，一直放在球包中，并成为球手的第十五根文化高尔夫球杆，记录珍贵时刻和感悟。

我把高尔夫比作阳光，青少年就像清晨冉冉升起的朝阳，我们的业余和职业时光挥洒在正午的烈日下，而温暖的夕阳关爱着老年人。这束阳光，照在T台上、照在果岭上、照在我们笑容洋溢的脸上，照进每一个人的心灵，融入我们的生活。

范越

北京高尔夫协会创始人、秘书长

## 点评 ②

体育要包含精神，要被赋予神性。顶级的艺术，都能让人联想到人类的根本问题、超出现实的各种困惑的问题。美国特别强调艺术与科学结合，其实科学和艺术根本没法相提并论。美国强调科学，不过是其操控话语权的潜意识所致，这样它才能说事，因为美国没什么文化底蕴。欧洲最先富裕，聊的是艺术，美国需要从艺术与科学方向另辟蹊径，因为只聊艺术，美国就成法国、意大利的『徒子徒孙』了。所以，体育、哲学、艺术（美学）、科学设计的跨界融合，是青出于蓝而胜于蓝的奥秘。

光有运动和哲学还不够。像理查德米勒，它所追求的是一种机械美学，它所做的表，体现了一种当代艺术的设计观念。没有当代的观念，其他一律无从说起。美学重要，拥有当代的观念也非常重要。

要从当代艺术角度看待事物。当代艺术是无数的观念，涉及复杂的人体科学感知，是一种身心灵圆融的艺术。要成为真正顶级的，你必须做到顶级。高尔夫或其他东西，引进到中国来，都不能忽略隐含的顶级标准，悟不透这一步，就还不能说是触摸到了真正的文明。

现在，当代艺术给人一种启示：我们要从商业向精神商业方向发展。

古希腊、古罗马的园林，给人美的感受和沉浸式的感受，这些还只是表面的东西。还需要有对宇宙、真理、生命的哲思，需要用最简单的语言讲最高深的道理，对真理的追求是人类的天性。

目前，每个华夏子孙都面临着考验。我们需要有正确的价值观、正常的审美、文明判断和文化判断。

人一定要不断学习，不要被以往的认识固化，要不断打开新的空间。整个人类意识在宇宙中都是非常狭隘的思想境界，大多数人一生在迷幻中浑浑噩噩地过去了。令人感到讽刺的是，每个人其实都怀有使命。所以，要不断攀升，这就是书中提到的真正的美感和崇高感的价值所在吧。

每天早晨试着做三件事：喝一杯香浓的咖啡，听一首可心的音乐，给自己喷点香水，出门。

任何地方都是你心灵的高尔夫球场……

**Steven/Yuan**
资深艺术和媒体精英人士

# 点评③

孔子（公元前551—公元前479年），中国儒家学派创始人，古代最伟大的思想家、政治家和教育家，被后世尊称为"孔圣人""至圣先师""万世师表"，其思想对中国和世界都有深远的影响。

本·霍根（1912—1997年），美国人，世界最伟大的高尔夫球手之一，知名度极高，他的高尔夫著作《本·霍根五堂课》影响深远。

孔子和本·霍根可谓儒家思想和高尔夫运动的代表性人物。

儒家的核心思想包括：仁、义、礼、智、信（五常）。

仁：爱人。释放一种人性的光辉，是孔子思想体系的理论核心。

义：即行为适于"礼"。孔子以"义"作为评判人们的思想、行为的道德原则。

礼：自觉遵循社会的秩序和规范，是儒家的政治与伦理范畴。

智：同"知"，是孔子的认识论和伦理学的基本范畴。指知道、见解、知识、聪明、智慧等。

信：待人处事诚实守信、言行一致。

高尔夫运动的核心精神包括：彬彬有礼、诚实自律、为他人着想。

我们吃惊地发现，被誉为绅士运动的西方精英体育运动——高尔夫的理念，与中国儒家思想的精髓是如此一致。可见，东西方文化虽有很大差异，亦有很多相通之处。东西方文明互通互融、和谐相处是有文化基础的。

孔子与本·霍根思想的差异之处主要在于：孔子思想注重社会关系，强调君臣、父子、兄弟、夫妇、朋友关系，注重群体、社会、和谐，是一种群体主义价值观。而本·霍根思想注重个人奋斗，强调阻碍一个人成功的因素是他自己，对结果负责的也是他自己，注重以自我为中心，是一种个人主义价值观。

高尔夫运动博大精深，通过高尔夫运动，可见中西方文化之异同。求同存异，百花齐放，多元文明和谐共存，人类命运共同体是人类文明发展大趋势。

**何仲恺**

北京大学高尔夫总教头、教授、博导

## 点评 ④

高尔夫运动的特质使人与自然之间更加和谐，也能提升人对自己的挑战要求和水平，因此，独特且可点亮人类心灵火种的高尔夫文明礼貌顺势而生。

高尔夫文明礼貌产生的基石之一是诚信，即对自己所作所为甚至不为外人所知的所作所为之诚信。如果没有诚信这块基石，则人类所体现出来的文明礼貌就是浅薄的，甚至是对文明礼貌的蔑视与践踏。

高尔夫文明礼貌产生的基石之二是平衡。大道至简，运动永恒，静止相对，但万物保持平衡或均衡。人最大的敌人是自己，要战胜自己，重在胜心，重在灵魂深处的平静与淡然，因而需要体现在文明礼貌上情绪有度、欲望有度、思虑有度，才能克制致远而真正成就。

高尔夫文明礼貌的意义、力量与智慧在于：永远保持道法自然，永远做好自己，则可随缘于一切结果，得运于一切结果，因为一切结果都是你内心平静或强大的独白，因而，一切结果都是你过程最完美的诠释，也是高尔夫文明在此过程中的魅力所在。

### 叶凌宇

最好成绩 64 杆

一次真正的开球 400 码

1 个 Hole In One

目前致力于打遍世界百佳球场

*Golf and Philosophy*

# 点评 ⑤

读了《高尔夫与哲学》，收获颇丰。这本书从不同视角诠释了高尔夫这项运动。我用两个经历的真实故事，说一下对高尔夫的理解。

第一个故事发生在2016年4月。我曾经去意大利梅纳骄高尔夫俱乐部，跟意大利朋友打了一场高尔夫球。梅纳骄俱乐部是意大利第二古老的球场，最令其骄傲的，是藏有一千两百多册高尔夫书籍，并且很多书是五六百年前的高尔夫历史书籍，因此，该俱乐部被广泛认为是世界上最珍贵的高尔夫书籍藏有地之一。每年，大名鼎鼎的圣安德鲁斯俱乐部成员都会来这里查阅古老的高尔夫书籍。最好的那些高尔夫俱乐部和球场一定有底蕴，而底蕴来自传承。球场的老板是个和蔼可亲的老人，从父辈那里继承这个球场，几乎每天都会来俱乐部。对新朋友，他会滔滔不绝地介绍这些宝贝藏书。

与我同场打球的这位意大利朋友是个超级富豪，年过七十。家族生意在他这一代被发扬光大。他收藏的法拉利跑车至少有四十多辆。我问他：您这么有钱了，您人生的目标是什么？

他的回答是：传承！跟他这个欧洲贵族打球时，你能始终在所有场合，感受到他的那种自律、那种公正。他是亿万富翁，但我这个无名小辈却无时无刻不能感受到他对我的尊重。当你打出好球时，他会拼命给你鼓掌。此时，高尔夫成绩已经不那么重要了，重要的是你感受到的文明和文化，这才是高尔夫！很多人能做到在五星级酒店不随地吐痰，但在球场上可能就随意了。真正的绅士，就是在球场，也始终会保持自律。

第二个故事是关于高尔夫俱乐部会员品质的故事。大家知道，有些高尔夫俱乐部的会员入会贵且难入。想入会奥古斯塔，不管是『老虎』伍兹、美国议员还是比尔·盖茨，都得排队。我有个美国迈阿密的朋友，是迈阿密一个岛上非常棒的俱乐部里唯一的华人会员。海岛很漂亮，豪宅几乎都配有豪华游艇码头。有一个富可敌国的互联网新贵，买下了球场数一数二贵的别墅，但他就是成不了会员。因为俱乐部规定：想成为会员，必须得到所有会员同意。他花了好几年时间和很多钱，跟俱乐部打官司要入会，可还是入不了。我这位朋友总结说：会员资格其实是会员人品的总和。

我打高尔夫球二十多年了，有幸去过全球很多高尔夫俱乐部。与德高望重者同场，你会体验不同的感受！不论高尔夫是否一片净土，但我们可以净心其中！

**陈睿**
ECCO中国合伙人

# 点评⑥

平日，我们来到各种高尔夫球场，但见绿茵浓翠、鹤汀凫渚、桂殿兰宫，不禁感叹大自然的雄奇和人类创造力的雄伟；高尔夫的博大精深和打球过程中的人间百态，又让我们感慨人生如球、世事如戏。对于其中出现的不足之处，大多数人的做法都是通过调整『小我』去适应——球道很烂，果岭很慢？换球场得了；球友很拽，球品很坏？躲开他还不成吗？

而《美德论》的『格局』可就大多了：你们那是小资产阶级情调的感时伤怀、心灵鸡汤，我要进行深层次的哲理性思辨！你们讲究个人圆滑变通，我却要改变整个高尔夫运动的规则体系！

随即，作者驾轻就熟地从后果主义、宗教哲学、康德主义等哲学流派入手，寻找改革高尔夫运动的底层思维逻辑和理论依据。我们知道，西方的启蒙运动通过理性主义，既把西方哲学推上古典哲学的最高峰，也在认识论上将其推入了深渊之后的语言学转向更是瓦解了它的天然领袖地位。单纯的哲学论证已经很难提供足够的合理性看似进入了死胡同。但是作者巧妙地从伦理道德中寻找出路和解决方案。这样，哲学思辨解决了思考的深度，伦理道德的角度又打破了西方人事事从法治、规则上想办法的窠臼，并从个人修养、『德治』上找到了『美德论』这个更优化的方案。

实际上，如果作者有更开阔的知识底蕴，他可以从东方哲学，例如道家的『无为』思想和印度因明哲学入手，进行更强有力、更充分的论证；至于道德修养伦理规范，东方文明更有着取之不尽的资源。当然，这已经是另一个问题了。

廖德宇

北京大学

## 点评 ⑦

**女儿**：你对高尔夫怎么看？

**父亲**：

第一，高尔夫有一百多年历史，在西方是普及的运动，在中国却是小众的。美国有近两万个球场，中国目前不到五百个。

第二，民国北洋政府在北戴河为张学良建了座高尔夫俱乐部（现松石高尔夫俱乐部）。

第三，二十世纪八十年代初建的北京国际高尔夫球场是新中国第一座高尔夫球场。

第四，高尔夫讲究规则，有很强的社交属性，注重规则自我约束。我评价高尔夫运动，就以中西文化做比喻，用十六字概括：

西——绅士风度，骑士精神；

中——侠的风骨，禅的智慧。

**女儿**：高尔夫和其他运动的区别在哪里？

**父亲**：

第一，高尔夫运动是最接近大自然的一项运动。从某种意义上来说，高尔夫和另外两项运动很像——帆船和滑雪。

第二，高尔夫特别注重规则和作弊的问题。高尔夫运动是一项对自我要求和自我约束标准很高的运动。

**女儿**：业余高尔夫球手会作弊的原因是什么？

**父亲**：

第一，大家以玩的心态来打比赛。

第二，缺乏对高尔夫特有的体育精神的理解，业余选手并没有真正理解高尔夫运动。

**女儿**：职业高尔夫球手极少作弊，不是因为高尚而是犯错成本太大，你怎么看？

**父亲**：对！如果作弊，很多品牌赞助商就不再赞助他了。

**女儿**：如何解决高尔夫作弊问题呢？

**父亲**：

第一，职业球手已经养成了遵守规则的习惯。业余球手改变起来其实挺难，永远不要挑战人性。

第二，业余选手理解高尔夫的真正意义和价值是改变之道。

第三，东西方文化不同，须差别对待。

第四，业余球手可多参加些优质比赛，像北大、清华校友联赛，全国商学院高尔夫球联赛，中国企业公民高尔夫俱乐部等。

父亲＞东子哥——高尔夫球资深玩家

女儿／Maxine——对高尔夫感兴趣却不懂高尔夫球的中国年轻人

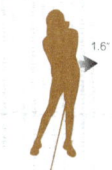

## 点评 ⑧

高尔夫的发展历史，是从最初的少数人运动开始，到逐渐普及成不同种族、不同性别参与者的运动的过程，虽然缓慢，但逐渐在展现『运动属于全人类』的这个至善理念。从运动本质看，高尔夫运动更加符合自我发展、自我挑战的逻辑，高尔夫体现了体能和智力的有效结合，这两种特质符合跨种族和跨性别的普及与推广。

高尔夫之所以有人的属性的不同区别，主要源于运动操作机制和运动管理流程的设置。高尔夫运动的俱乐部管理逻辑，从基础入门的操作流程开始，就人为地设定了社会性选择机制，更加偏向于『富有的』『成熟的』社会阶层，这种逻辑更加适应于小众范围的『私域社交模式』，社交的基础是社会层级，高尔夫比拼的是差点（Handicap）的高下。

随着时代发展和社会进步，人与人间的社会分工和能力表征，已不完全是体能的区分，而更多是身心合一的综合效能体现。身、心、灵是人的三个组成和面向，传统高尔夫侧重身体，心灵则更多由文化滋养，文化高尔夫作为对传统高尔夫的迭代，顺理成章。衡量文化水平的『心差点』（Hearticap）与衡量身体水平的『差点』（Handicap）是互相协助的关系。

针对高尔夫运动中种族和性别的不同，高尔夫的发展从传统高尔夫单一的『差点』到『文化高尔夫差点』和『心差点』（Hearticap）的共生共荣，意味着越来越开放、越来越公平的精神层面体验，开始引导着操作流程的逻辑变化，从而推动着高尔夫运动的新进化，这也体现在超越种族和性别的界限，逐渐实现身心圆融的开放和公平。卢梭说过，『人人生而自由平等』，高尔夫运动的发展从俱乐部制不断普及更多的社会大众的个人的认知和实践，也在突破自身的桎梏。

这种枷锁或许是种族的区隔，或许是性别的差异，或许是年龄的局限，从心疆域的定性认知升华到『心差点』（Hearticap）的定量认知，在第八洞中，体验『旗没动，风没动，是心在动』的境界，这是竞技中的最高境界之一。回归原点，接近人类普适性的感知，对世界、对运动、对输赢的重新定义。『沙门行道，无如磨牛，身虽行道，心道不行。心道若行，何用行道。』身心合一，才能从高尔夫赛事的竞争中超越竞争，才能从参与者的种族和性别的桎梏中脱离桎梏，实现从传统高尔夫规则『差点』（Handicap）到文化高尔夫精神『心差点』（Hearticap）的升华，助力人们实现身心灵圆融、真善美绽放。

王霞

独立顾问

## 点评⑨

基于业余高尔夫爱好者的能力差异和水平不一的事实，为了确保竞争的公平和公正，让每位参与者都能有机会实现打高尔夫的内生目标（最低杆数）和外延目标（锻炼身心和社交等），本洞作者（大卫·希尔）提出了独到、有趣且切实可行的解决方案，并寄希望于高尔夫能真正成为『身心灵圆融』的顶级运动。

为了公平公正，虽然我们平时也采用了平衡差异的举措，诸如，让发球台、让杆、让洞等，但这些让渡仅限于相对熟悉、知根知底的球友之间，也并未实现实力的真正平衡。

因此，高尔夫独有的保证公平竞争的定量计分方法——高尔夫差点，在高尔夫业余比赛中就体现出了真正的作用和价值。

世界差点系统（World Handicap System, WHS）的目的，就是为了实现能力和水平不同的所有业余高尔夫球员能在任何球场进行公平竞争，从而使高尔夫运动更有乐趣。

世界上最著名的差点高尔夫赛事——世界高尔夫差点锦标赛，是全球最大规模的、同时也是极具乐趣的世界性业余高尔夫赛事，其以『差点』为基础来计算比赛成绩（净杆），深受世界各地业余高尔夫爱好者喜爱。

我们应在国内大力推广和举办以差点为基础的高尔夫比赛，以有利于这项运动得到更好的普及。

**林尤仁**
海南椰香高尔夫球队队长

**曾纪君**
海南师范大学校友会高尔夫球队执行队长

**樊大斌**
南京航空航天大学校友高尔夫俱乐部主席
北京大学高尔夫球队校队成员

# 点评 ⑩

当一个有趣的灵魂遇见了有趣的高尔夫,就演绎出这篇有趣的令人拍案叫绝的文章。作者一生与小白球苦苦纠缠,在圣地圆石滩圆梦之余,意外地被一名"刑事犯"点醒,最终完成了一次对高尔夫的顿悟和内心的升华。

许多资深球迷打过无数国内国外名场,但能生动记录下打球经历者却寥寥。本人痴迷高尔夫二十载,几乎打遍国内球场,采访过奥古斯塔美国大师赛和数届奥运会,曾数次起心动念,意打完名场后写文记之,但十八洞后,小酒一喝,惰性滋生,一切作罢。

圆石滩的故事给我的印象新鲜而深刻,这归功于作者栩栩如生的描写及对鲜明人物性格的刻画。萌生编写《净心十八洞》(本洞文章的顿悟就属禅宗)的想法,让十八位高尔夫前辈口述自己的高尔夫历史,点评这本富含中国传统文化DNA的《高尔夫与哲学》,让书中的儒释道禅也生动鲜活起来。

生动有趣的故事受欢迎,探求高尔夫奥秘、启迪人生的故事更有意义。最喜欢作者第二个故事:"不去想打高尔夫,而只是在打高尔夫!""Just let it go!"大道至简,上道便是奇缘。心灵安处是归宿。读此,顿悟!

作者心中那个讨厌的"高我",其实存在于每个人的心头,它既可以成为追求卓越的天使,也可以成为折磨人的魔鬼。打高尔夫,你会对念头充满敬畏,会对意念的神秘力惊悚不已,几乎所有挑战自我和不自量力之间只隔着一球的距离。冥冥中甚至还有连爱因斯坦都无法解释的量子纠缠和暗能量,使小小高尔夫球屡试不爽,飞向你负念都是灾难的前奏,冥冥中甚至还有连爱因斯坦都无法解释的量子纠缠和暗能量,使小小高尔夫球屡试不爽,飞向你念头一闪的"沙坑"和"水池"。没有一项体育运动像高尔夫一样难以捉摸和神秘莫测。不贪不嗔,不心存侥幸,违反人的天性,却正是高尔夫难点所在,埃及法老几千年前就发声:"人啊,认识你自己!"人类挑战高尔夫游戏时,压住人性中的"高我"才是正道!

本文作者苦恋苦练高尔夫大半生,最后被在人生中大彻大悟的"罪犯"点醒,一旦挣脱了心中的"高我",他便Just let it go,体会"大道至简"、拈花一笑。打一场轻松快乐不纠结的高尔夫,写一篇有趣生动的小文,参悟人生中宛如高尔夫的道理,每个人都会收获良多。

## 杨明

新华社资深体育记者、观澜湖(中国)媒体队队长

# 点评⑪

很荣幸被邀请对这个主题发表一些评论。本『洞』作者在这个领域比我有更丰富的专业知识。我将举几个我个人的例子，希望这些经验能给读者增加一些理解。

所有的高尔夫球场都是特别的地方，是自然与人合作之地。在我的经验中，有一些高尔夫球场是『神圣的』。这些球场有一种『光环』。当我站到它们上面时，我满怀崇敬之情。这些高尔夫球场因它们的历史而圣洁。那些伟大的冠军已经在它们那里打过，我感觉那些冠军仍然存在。球场的位置无关紧要。好的球场精气神是一样的。比如 Olympic Club、Colonial、Cherry Hills 或 Hazeltine 这些高尔夫球场，它们永远是『圣地』。作为一个参加过高水平比赛的人，打这些地方就不一样了。我不关心我的比赛质量，在比赛的时候，我的自我消失了，但我一直打得很好。我感到很荣幸，能在那里打比赛。

It is an honor to be asked to make a few comments about this subject. The people who have presented their ideas have a great deal more expertise in this field than I. I will present a few examples from my personal experience that hopefully, will give the reader some understanding.

All golf courses are special places. An example of the cooperation between nature and man. In my experience there are some golf courses that are 『holy』. These courses have an 『aura』 about them. When I step on their grounds I am filled with great reverence. Not unlike going to church, but without the guilt. These courses are holy because of their history. Great championships have been played on them and it feels that the ghosts of those championships are still there. It doesn't matter the location of the courses. It is always the same. The Olympic Club, Colonial, Cherry Hills or Hazeltine. It is always holy ground. As one who has competed at a high level, playing these places was different. I was not concerned with the quality of my play. My ego played no part in the game, but I always played well. I felt honored to be there.

克雷格·帕尔默（Craig Palmer）①

美国职业高尔夫球手、教练

---

① Craig Palmer 现居美国丹佛。曾在作为职业高尔夫球手的三年内，在美国赢得了二十三次州冠军。他的教练 De La Manuel 先生是 PGA 排名前十的金牌教练。——译者注

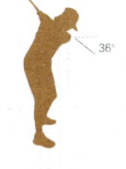

## 点评⑫

2022年10月19日，本书译者在深圳有幸见到顶尖的八位业余高尔夫球高手，一起享用晚宴，他们有着丰富的高尔夫和人生经历。在疫情之中、弹窗之间，在深圳一隅，听他们说到球至中场、中的时刻的感受，是一份记忆。往事并不如烟。有时候一辈子的感悟，就只是几句话，席间印象深刻、引我共鸣的一些话语摘录于下：

『现在的心态越来越放松，不再纠结于一场球下来杆数的多寡，多一杆，多一份健康！』

『医生建议多晒太阳多运动，所以高尔夫特别好。现在周一把工作安排好，一周大部分时间都在高尔夫球场打球，商务见面也尽量安排在球场。』

『文化高尔夫是一件好事情，通过传统文化和高尔夫密接的独特纽带，全球华人可以像这篇文章结尾所说：去体悟，我是谁，我不是谁，我究竟应该是谁，这三个"天问"。』

他们浓缩的心声，来自高尔夫球场潇洒的挥杆和生活的历练，弥足珍贵……

郑学捷先生／海南高尔夫顶尖选手之一

梁兵先生／曾经有两次一杆进洞的神奇经历

李四洋先生／泰国侨领

成雁先生／北大老哥

郑涛先生／重庆老哥

莫懿先生／北京小哥

吴加练先生／北大新秀

朱传兵先生／北大新秀

## 点评 ⑬

这『洞』具有浓郁中国道家传统思想韵味的文章,通过在挥杆打高尔夫球的过程中对『道』的体悟,表明只有符合『道』,才能打出属于自己的更好成绩。作者行文既有经典引用,也有实际案例说明,很有特色,也很有深度。

作为道家的修行人,我需要指出本『洞』文章有个小细节需要注意:原文说到『道家思想的精髓:不追求结果、无为无不为、自我认识或自我接受』。这句话的表达还有些偏颇,还不够全面。需要指出的是,道家是有追求结果的,这个结果就是要达到『天人合一与道合真』的境界,就是我们常说的『道法自然』『人法地,地法天,天法道,道法自然』。大道效法的是大道本身,自然而然。老子在《道德经》中强调婴儿的状态,是因为他认为婴儿是符合大道的。道教对结果的态度是不刻意追求,而不是不追求。只要符合了大道,自然会有好的结果。如果刻意追求,则反而会适得其反。

文中用《庄子》中弓箭手的寓言故事,来说明打高尔夫球的功法,《道德经》中说『后其身而身先,外其身而身存』,《心经》中说『无罣碍故,无有恐怖』,它们都是一个道理,都是在说身心自在大自在。

### 文武斌

中国道教协会副秘书长
中国山西道教协会会长

## 点评 ⑭

苏格拉底曾说：未经审视的人生是不值得过的人生。思想力、专业力、品格力的三元领导力模型，融汇东西方哲学思想，对高尔夫有特别的启示意义。

思想领导力之根在于对于未来、理想、使命、愿景、梦想的追求。西方哲学『爱智慧』强调对灵魂拷问，东方智慧则强调现实的洞察和人性的关怀。不同的领导者对世界有不同的认知，所以在思想领导力中我特别强调四点：使命、愿景、价值观、思维模式。在当今不确定性世界中，没有理想的领导者，会把世界、社会、组织、企业带入深渊；没有使命的高尔夫运动员，同样不会是『高尔夫仁者』。新贵Chat-GTP有再大的算力，面对复杂、多变、敏感、脆弱的人性，也只是『硅基』的机器，替代不了『碳基』的人性。

中国的孔子、老子等先贤们有着迥异于西方的观念。老子说三生万物，三元领导力之三力，也会生出万有之力，因为中国文化重现实、重生存，讲究天人合一。而用古希腊哲学看三元领导力，特别是思想领导力，会发现西方侧重理想主义，追求真理，偏爱辩论是非。

中国文化则强调现实，努力活好今生，做好当下工作（包括打好高尔夫每一杆），做出精彩和特色。不同于希腊哲学家偏爱追问现实本质，中国文化更重研究人与人的关系，包括人与高尔夫球的关系，重视整体、关联、事物之间的平衡和融会贯通，因为生活是一个挑战，也是一种感觉，更是一种艺术。高尔夫的环境不断变化时，球手需要随之变化，但做人的基本道德准则是不变的：礼仪、孝顺、利他、谦逊、修身、齐家、诚意、格物致知、上善若水。

西方文化是海洋文化，中国文化是农耕文化，中西各有特色和千秋。我在三元领导力中提出的另两个专业和品格力的旨趣，是把西方求真务实和东方共情修身的观念相融，与思想力一起，原创出跨文化的三元领导力模式，三力互相借力，逻辑紧密关联。

从三元领导力角度看这篇中西文化巨匠眼中的高尔夫哲文：不回答为什么打球（没有思想力，柏拉图不答应），不具备高尚道德准则行为举止（没有品格力，孔子也不答应），缺乏核心竞争力（没有专业力，包括球术、方法、心理等，是有悖《大学》格物致知、诚意正心、修身齐家治国平天下的八条目的），打高尔夫就会追求捷径，急功近利，最终事与愿违。

在高尔夫上体悟跨文化的三元领导力，人人可用柏拉图的思想力和孔子的品格力，打出属于自己《大学》专业力的文化

高尔夫妙有一球……

杨壮

北京大学国家发展研究院管理学教授

国家发展研究院BiMBA商学院前联席院长

# 点评 ⑮

完美挥杆，似乎是普天之下所有golfer，包括职业运动员和业余爱好者共同的目标。我打了十五年球，跟不下十位职业教练或者职业球员探讨过挥杆的各种技术，更不要说和身边球友随时随地展开的讨论了。然而随着时间推移，我越来越觉得完美的挥杆也许根本不存在，就算存在，也是不值得追求的。

首先，身体条件差别太大，特别对于高尔夫这样复杂高难度的运动。当今职业挥杆教科书模板前三名是Adam Scott、Justin Rose和Luis Oosthuizen。但这三个人的职业成就很难被称为顶尖。反而以挥杆怪异（其实是不具备肩胯分离能力）的Jim furyk打出『美巡』历史上唯一的五十八杆，他是唯一打出过两次五字头杆数的职业球员，职业生涯奖金排行第四。就算『老虎』泰格·伍兹，也很难说拥有完美挥杆。他统治的十年里，可怜的上球道率为人所乐道。他在采访里谈道，青少年时形成的下蹲启动挥杆再蹬地发力是他一直想改正而做不到的。讽刺的是，这个特点被很多一知半解的爱好者效仿。

其次，高尔夫并不是一项单纯的技术比拼，进阶到了一定水平之后，就变成了心理游戏。业余高尔夫传奇人物Bobby Jones说过：'高尔夫是在五英寸的一座球场里进行的游戏——双耳之间的距离。在观看职业比赛的过程中，我们也曾无数次见证周末的后九洞因为巨大的心理压力崩盘而错失冠军的情景。可见，这项运动并不是靠塑造挥杆就能实现目标的。

最后，随着球具、球的设计和制作理念、技术的进步，挥杆理念也在随之变化。金熊①、Palmer这些巨头的挥杆放到现在可能会被人嘲笑；即使是在我学球、打球的这十五年间，很多教学理念都已经发生了翻天覆地的变化。最近一两年跟职业教练交流，我发现和十几年前初学时有很多地方甚至是完全矛盾的。一个有趣的现象不知大家注意到没有，四五年前职业球员一号木击球之后，球tee会往目标反方向飞行，我们称之为『职业tee』，而现在，则变成了直直地向上飞，落在原地。这也从侧面说明了挥杆模式的变化。

所以我说，没有所谓一成不变的完美的挥杆，只有适应自己，能打出好成绩的技术。

宋建宁

---

① 指杰克·尼克劳斯，他在20世纪60年代末70年代初杰出的PGA巡回赛球员，是高尔夫历史上最伟大的球手之一，他手握着18个大满贯记录。——编者注

## 点评 ⑯

从事高尔夫俱乐部管理已有十五个年头，我热爱高尔夫运动。本文中作者说：『生活的意义也是如此，在多数情况下，在我们的能力范围内，做想做的事情，生活就会有意义。』大家都知道，高尔夫所谓的技巧和技术，就是让击球者拥有想哪打哪和突破自己的能力。高尔夫真正的竞技，是不断地挑战自己。不管是在开球还是在推切杆过程中，精神不集中或下杆犹豫不决，都会造成动作变形，致使击出的球无法达到预期效果。高尔夫对心理素质的要求很高，很多有天赋的球员，却不一定能打出很好的成绩或发挥出理想的水平，主要原因是心理素质还不够强。高尔夫球员的心理承受能力，会影响其竞技决策、击球想象力和挥杆的感觉，会影响每次挥杆。建立充分的自信、专注力这些品质，是每一个球手下场前的必修课，因为打高尔夫，是项追求目标、突破自我的运动。

本文作者还列举了一个观点：『是否接受宗教，是否生活有意义还是没有意义，这一切，都取决于我们自己选择如何去生活。』每次我们站在高尔夫球场上，或多或少都可以感受到不同人性的弱点、品格、习性的高尚或低俗，每个人的习惯都将暴露无遗。球场上每一次挥杆、每一次竞技，是展示给别人，也展示给自己。球友之中既有我们人生中的良师益友，也有事业上的潜在合作伙伴。当然，也须远离不同频的人。在高尔夫世界里，注重修炼自我的心灵，脚踏实地做好自身的工作，才是我们要到达的生活目标，毕竟高尔夫和生活中也不会有那么多一杆进洞的惊喜。

董兴华

## 点评 ⑰

「打高尔夫球的人都有好朋友。」读完本书第十七『洞』，印象最深的就是这句话。

另一句话是：高尔夫是促进平等的运动。高尔夫差点系统让水平差别大的球手可在平等环境下比赛。

朋友是一种『选择』，每个人在人生中不同阶段，会交到不同的朋友，这源于情感需求、共同的价值观和兴趣爱好。幼年时期有儿时玩伴；上学期间有分享青春期烦恼的好友（闺蜜）；工作成家后，又会有成熟的朋友。

我经常跟同事分享一个观点，同事间能在工作中欣赏并完成工作目标，是非常难得的，就是非常好的同事关系；成了好同事后，由于价值观和爱好接近，成为亲近的朋友并结下深厚友谊，是更高的境界，彼此会分享私密的事情，这是人生幸福的一件事。但不是所有好同事都能成为好朋友。反之亦然。

本『洞』文章讲性别歧视过分强调了男女同场竞技。还是要承认男女身体条件是有差异的。只要按照同样的规则践行高尔夫精神，一样可以参与高尔夫运动并推而广之的。

文森

点评 ⑱

海闻

北京大学汇丰商学院创始院长

海阔天空任地想
脚踏实地贵千钧

行万里路 破万卷书
高尔夫的道德圣经

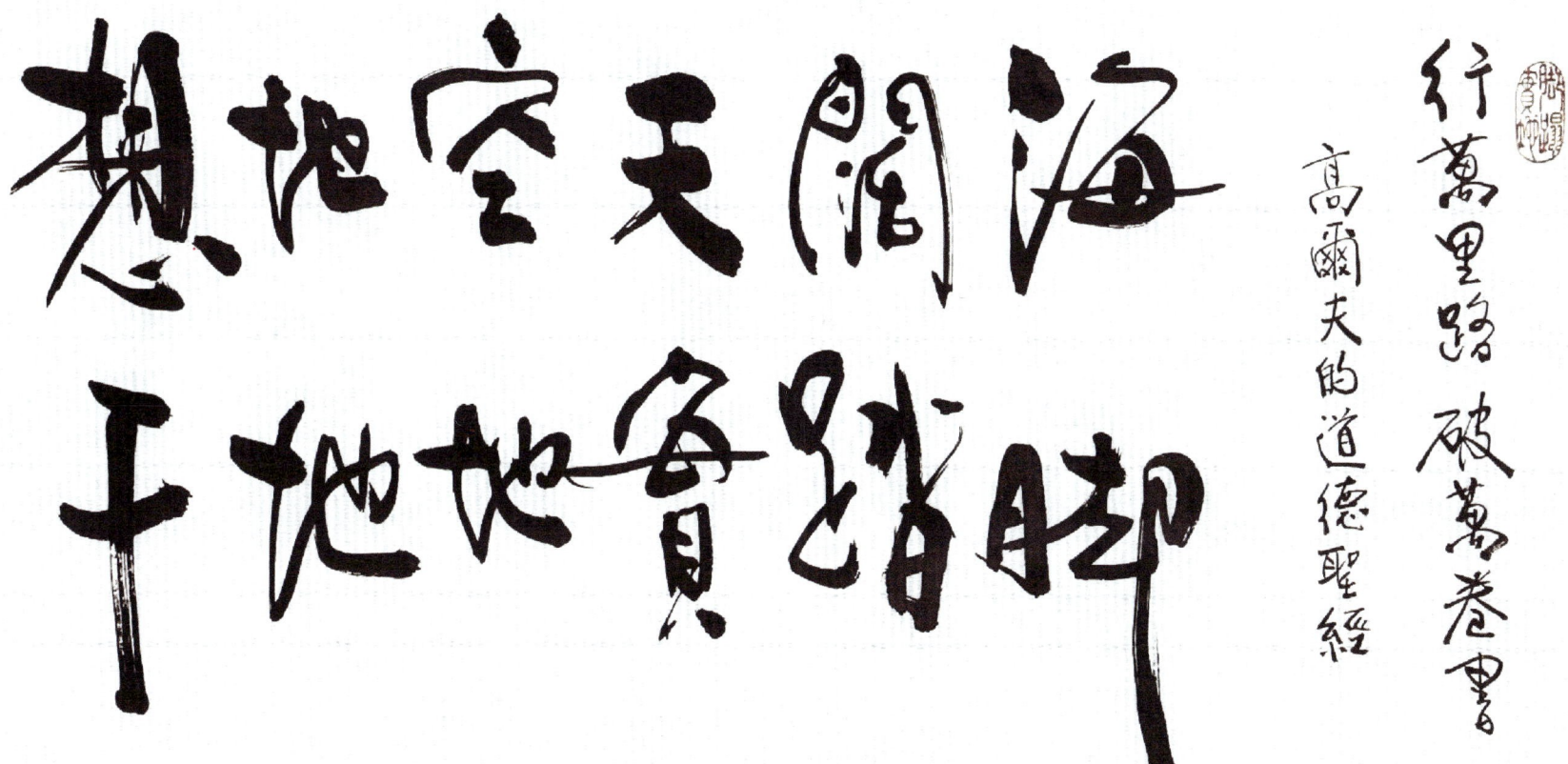